Marina Falcinelli – Valeria Mazzetti
Maria Benedetta Poggio

Un, Due, Tre

Italiano per stranieri

Corso per bambini

1

Le Monnier

www.lemonnier.it

ISBN 88-00-85379-X

Redazione: Lucia Ermice
Progetto grafico, impaginazione e copertina: Patrizia Innocenti
Disegni: Giulio Peranzoni
Controllo qualità e fotolito: Luciano Begali

Prima edizione: luglio 2003

Ristampa:

5 4 3 2 1   2003 2004 2005 2006 2007

La realizzazione di un libro comporta per l'Autore e la redazione
un attento lavoro di revisione e controllo sulle informazioni
contenute nel testo, sull'iconografia e sul rapporto
che intercorre tra testo e immagine.
Nonostante il costante perfezionamento delle procedure di controllo,
sappiamo che è quasi impossibile pubblicare un libro
del tutto privo di errori o refusi.
Per questa ragione ringraziamo fin d'ora i lettori che li vorranno indicare
alla Casa Editrice, al seguente indirizzo:

Via A. Meucci, 2
50015 Grassina (Firenze)
Fax 055.64.91.286
www.lemonnier.it

La Tipografica Varese S.p.A. – Stabilimento di Firenze – Luglio 2003

Un, due, tre è un'opera destinata a bambini dai sei ai nove anni che studiano l'italiano come lingua straniera o come L2. Si articola in tre volumi differenziati sulla base della progressione nella competenza linguistica e dello sviluppo psicofisico del bambino.

Obiettivo dei tre volumi è quello di sviluppare le capacita cognitive, affettive, sociali, culturali del bambino e di metterlo in condizione di comunicare in una lingua diversa dalla sua.

Consapevoli che la lingua straniera non è uno strumento assolutamente necessario per soddisfare i bisogni immediati e che, d'altra parte, la "molla" di ogni apprendimento è la motivazione, siamo partiti dall'individuazione dei reali bisogni del discente e abbiamo creato le condizioni tali da stimolare e mantenere vivi l'interesse e la curiosità. Ciò si rende possibile soltanto attraverso un approccio esperienziale e la proposizione di un sillabo basato sul "saper fare".

Considerando che il bambino apprende attraverso una partecipazione totale: cognitiva, emotiva e multisensoriale abbiamo ritenuto indispensabile impostare l'insegnamento su un succedersi di attività sempre diverse (giochi, disegni, canzoni, filastrocche, poesie, drammatizzazioni) che sfruttano il movimento e tutti i canali sensoriali che si attivano durante l'approccio concreto con la lingua d'arrivo.

Per il bambino agire significa esplorare la realtà sociale, umana oltre che fisica, mediante l'invenzione creativa che si manifesta nel gioco inteso, nel caso specifico dell' apprendimento della lingua straniera, come "azione totale".

Nel gioco il bambino assume sempre un ruolo attivo e creativo, manipola la realtà, la costruisce, la rielabora.

Le situazioni di gioco che proponiamo (disegnare, colorare, indovinare, fare giochi linguistici) riproducono in modo naturale le caratteristiche della comunicazione creando la necessità e la voglia di comunicare. Fare leva sul gioco diviene una condizione indispensabile per giustificare l'uso di una lingua diversa dalla sua.

La struttura di ogni unità didattica prevede:

■ l'*ascolto e la ripetizione di parole nuove*, cui seguono attività ed esercizi (completamento, collegamento, prove di ascolto, ecc.) che ne favoriscono la memorizzazione

■ l'*ascolto di un dialogo*, trascritto nel testo, in cui il lessico, a questo punto già conosciuto, è inserito negli atti linguistici necessari ad esprimere una funzione comunicativa

■ lo *svolgimento di attività* finalizzate sia al rinforzo della funzione e delle strutture sia all'ampliamento del lessico

■ una *sintesi delle strutture* presentate, in cui la presenza di disegni favorisce la comprensione

■ l'ascolto, la ripetizione, la memorizzazione di *filastrocche*, *poesie* o *canzoni*

■ cenni di *elementi di civiltà*, inseriti sempre in attività ludiche

■ *giochi di riepilogo* attraverso i quali gli insegnanti possono verificare l'acquisizione del lessico, delle funzioni e delle strutture presentate .

Il testo fornisce indicazioni utili all'insegnante per l'esecuzione di giochi e attività che richiedono la partecipazione di tutti gli alunni, individualmente, a coppie, divisi in gruppi o in squadre.

Indice

FUNZIONI

ATTI LINGUISTICI	LESSICO
Come ti chiami? – Mi chiamo… Io sono… – Chi è? – È un/una	Marco, Elena, Spillo, Alberto, Oreste, bambino, bambina, gatto, cane, coniglio, tartaruga
Ciao! – Buongiorno! – Buonanotte!	giorno, notte, bambini, mamma, papà, maestra
Quanti anni hai? – Ho … – Ha …	uno, due, tre, quattro, cinque, sei, sette, otto, nove, dieci, anno, anni
Di che colore è? – Hai …? – Ho … – La mia palla è rossa. La palla di Marco è rossa. – L'aquilone è verde. L'aquilone di Marco è verde.	rosso, verde, azzurro, bianco, nero, giallo, rosa, arancione, grigio, marrone, viola, palla, aquilone, sole, fiore, mare, prato
Mi dai…? – Eccolo! Eccola!	penna, matita, gomma, lavagna, quaderno, libro, righello, astuccio, zaino, dare
Qual è il tuo numero di telefono? Il mio numero di telefono è …	telefono, mio, tuo
Io ho … – Ha … – Che cos'è? – È … – Buon compleanno! – Grazie – Che bello! Che bella!	palla, bambola, bicicletta, macchinina, costruzioni, trenino, orsacchiotto, puzzle, compleanno, bello, bella, pattini, regalo
Che cos'è? – È una … – È un … – Che cosa c'è? – C'è – Ci sono … – Hai …? – Ho … – Ha …	elefante, orso, coccodrillo, serpente, leone, zebra, scimmia, giraffa, tigre
Quando è il tuo compleanno? – Il mio compleanno è a …	gennaio, febbraio, marzo, aprlle, maggio, giugno, luglio, agosto, settembre, ottobre, novembre, dicembre
Ascolta! scrivi! leggi! colora! in piedi! seduto! silenzio!	ascoltare, scrivere, leggere, colorare, seduto, seduta, in piedi, silenzio
Qual è il tuo frutto preferito? – Il mio frutto preferito è… – Vorrei… – Ecco – Di niente – Prego. – Mi dai… – Ho fame! – Ho sete!	mela, banana, pera, albicocca, prugna, fragola, ciliegia, uva, un succo di …, mele, banane, pere, prugne, albicocche, fragole, ciliegie

Unità 1
Come ti chiami?

Colora il tuo Paese. Poi scrivi il nome del tuo Paese

ITALIA

1 Ascolta e ripeti:

SPILLO

MARCO

ELENA

ALBERTO

ORESTE

2 Riconosci nel disegno i personaggi e colorali:

3 Copia i nomi:

| MARCO | ALBERTO |

....

4 Guarda i simboli e scrivi il nome:

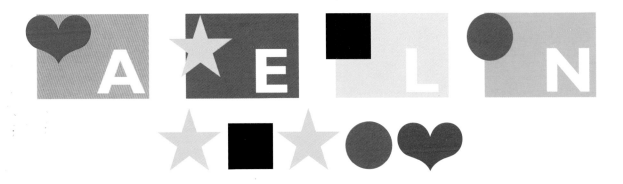

....

5 Scrivi le lettere che mancano:

S P ...... L L O

...... R ...... S T E

 **6** Ascolta:

7 Collega secondo l'esempio:

COME TI CHIAMI?

O R E S T E

MI CHIAMO  **E L E N A**

S P I L L O

A L B E R T O

M A R C O

8 Ascolta e riconosci il personaggio nel disegno:

9 Leggi e rispondi:

SONO
UN BAMBINO!

E TU?

SONO
UNA BAMBINA!

10 Riconosci le ombre:

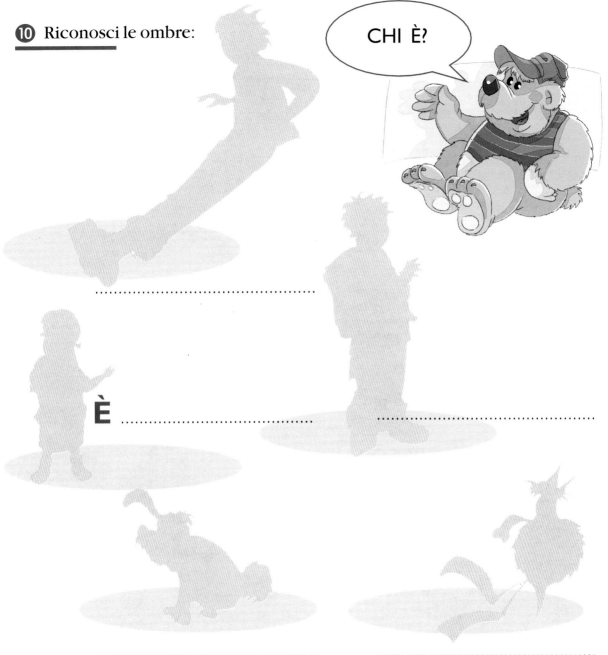

CHI È?

....

È ....

....

....

....

GIOCO

✔ La maestra indica uno dei personaggi del disegno di pagina 4 e chiede: «Chi è?».
✔ La maestra indica un bambino della classe e chiede: «Chi è?».
✔ La maestra indica un bambino/una bambina della classe e chiede: «È un bambino o è una bambina?».
✔ La maestra indica un bambino/una bambina della classe e chiede: «È Clara?». Un bambino risponde: «Sì, è Clara». «No, è …».

11 Completa:

MI CHIAMO **TITTI** E SONO **UN GATTO**

MI CHIAMO **PACO** E SONO **UN CONIGLIO**

MI CHIAMO **TERESA** E SONO **UNA TARTARUGA**

MI CHIAMO **PEPE** E SONO **UN CANE**

12 Collega secondo l'esempio:

PACO

PEPE

TITTI

TERESA

✔ I bambini lavorano a coppie. Ogni bambino indica un disegno dell'esercizio 12 e chiede: «Chi è?». L'altro risponde, per esempio: «È Titti, è un gatto».

⓭ Colora gli spazi con
il puntino e completa:

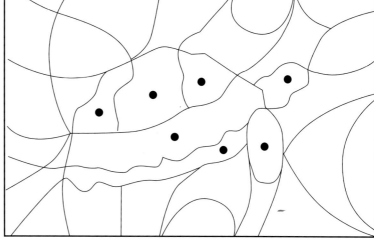

È ....

....

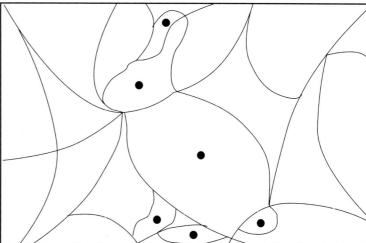

È ....

....

✔ I bambini formano due cerchi concentrici che ruotano in senso opposto. Ad un ordine dell'insegnante si fermano. I due bambini, che si trovano l'uno di fronte all'altro, si salutano e si presentano:

«Ciao!».
«Ciao!».
«Come ti chiami?»
«Mi chiamo .... E tu come ti chiami?».
«Mi chiamo .... – Ciao.........!»
«Ciao ....!».

✔ Un bambino lancia la palla a un altro bambino e dice: «Ciao, mi chiamo ....
e tu come ti chiami?». Il bambino che prende la palla ripete la frase e lancia, a sua volta,
la palla a un altro giocatore.

✔ I bambini disegnano e ritagliano una piccola maschera da mettere sulle dita. L'insegnante scrive alla lavagna alcuni nomi italiani, i bambini li copiano e scelgono quello che preferiscono per la loro mascherina, la indossano e si presentano alla classe.

14 Completa le parole:

		G								C
T		R	T		R		G		
		T								N
		T							
C		N		G	L	I			

15 Completa:

IL GATTO   LA TARTARUGA

IL CANE   IL CONIGLIO

16 Ascolta e riconosci il personaggio nel disegno:

Osserva:

COME TI CHIAMI?	

		MARCO	
MI CHIAMO		ELENA	
SONO		ALBERTO	
		SPILLO	

CHI È?

È	UN BAMBINO
	UNA BAMBINA

GIROTONDO

GIRO GIRO TONDO
CASCA IL MONDO
CASCA LA TERRA
TUTTI GIÙ PER TERRA

GIOCO

✔ Ogni bambino prende un foglio, disegna se stesso e scrive il suo nome. Poi i bambini si scambiano i fogli. Ognuno deve dire, mostrando il foglio: «Io sono……. E questo è……… ».

✔ L'insegnante ritira tutti i disegni. Ne mostra uno e chiede: «È Gianni?». I bambini risponderanno: «Sì, è Gianni» oppure: «No, non è Gianni, è ……………».

Unità 2
Ciao!

1 Ascolta e ripeti:

2 Scrivi al posto giusto:

BUON ....

NOTTE

BUONA ....

GIORNO

3 Ascolta:

4 Ascolta e riconosci se i saluti sono corretti:

1 · SÍ · NO

2 · SÍ · NO

3 · SÍ · NO

4 · SÍ · NO

5 · SÍ · NO

5 Scrivi i saluti al posto giusto:

BUONGIORNO!

CIAO!

BUONANOTTE!

POESIA POESIA POESIA

A UN GATTO DISSI: «CIAO»,
LUI MI RISPOSE «MIAO».

A UN CANE DISSI: «CIAO»,
LUI MI RISPOSE: «BAU».

A UN LUPO DISSI: «CIAO»,
LUI MI RISPOSE: «UAU».

A UN UOMO DISSI: «CIAO»,
LUI MI RISPOSE: «CIAO».

(adattamento da R. Piumini,
Albero Alberto aveva una foglia,
Mondadori).

Unità 3

Uno, due e tre

1 Ascolta e ripeti:

UNO 1	DUE 2	TRE 3	QUATTRO 4	CINQUE 5
SEI 6	SETTE 7	OTTO 8	NOVE 9	DIECI 10

2 Collega e poi scrivi i numeri secondo l'esempio:

2 1 → UNO

6 4 CINQUE TRE

5 SEI QUATTRO

9 3 DUE SETTE DIECI

7 8 NOVE

10 OTTO

1. UNO

2. D ....

3. T ....

4. Q ....

5. C ....

6. S ....

7. S ....

8. O ....

9. N ....

10. D ....

3 Leggi e collega secondo l'esempio:

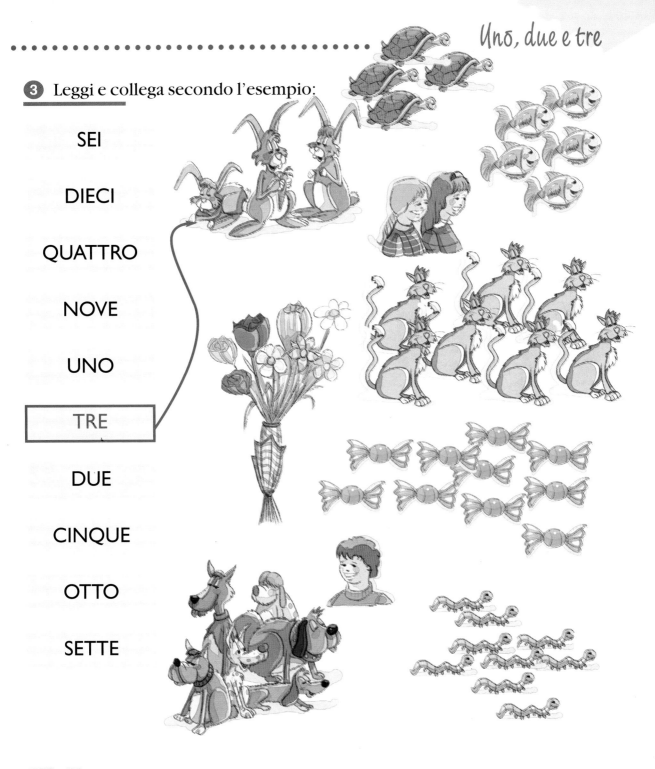

SEI

DIECI

QUATTRO

NOVE

UNO

TRE

DUE

CINQUE

OTTO

SETTE

GIOCO

✔ I bambini lavorano a coppie. Uno scrive su un foglio nove numeri, da uno a dieci. L'altro deve dire il numero che manca.

✔ L'insegnante scrive alla lavagna dieci numeri non in sequenza. Due bambini vanno alla lavagna e devono riscriverli in ordine da uno a dieci.

4 Ascolta i numeri e riconosci gli oggetti:

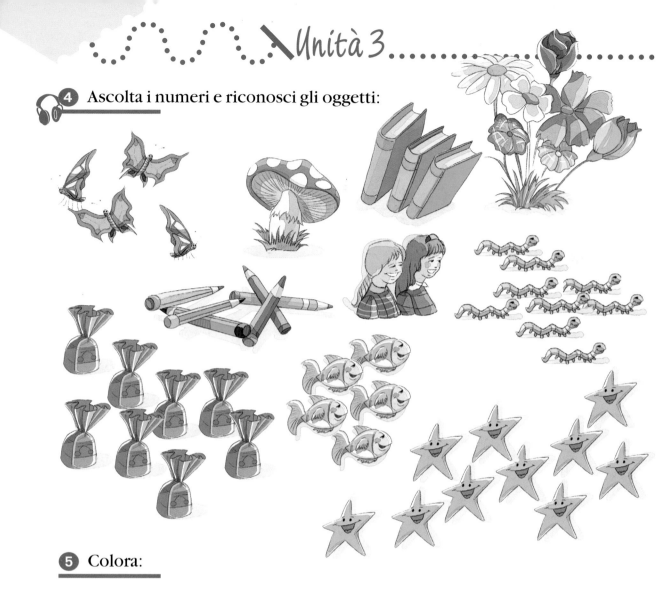

5 Colora:

DUE MELE

UN PESCE

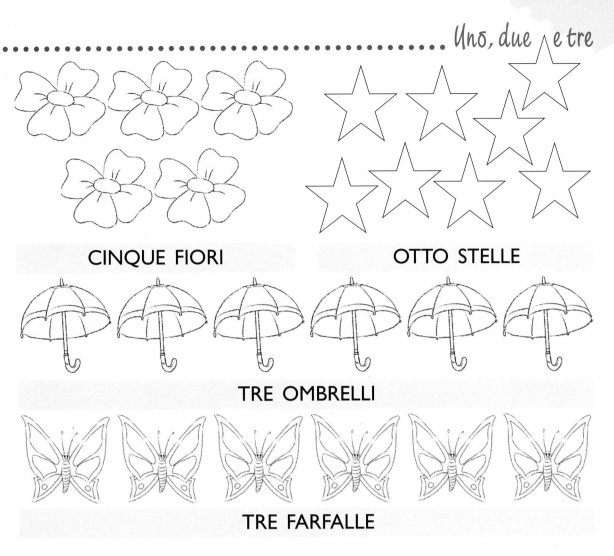

CINQUE FIORI

OTTO STELLE

TRE OMBRELLI

TRE FARFALLE

6 Completa secondo l'esempio:

PRIMA		DOPO
TRE	4	CINQUE
CINQUE	6	
	2	
	7	
	9	
	5	
	3	
	8	
	10	

7 Ascolta e collega:

8 Collega:

9 Copia al posto giusto:

MI CHIAMO ANNA. SONO UNA BAMBINA E HO QUATTRO ANNI	MI CHIAMO FRANCESCO. SONO UN BAMBINO E HO NOVE ANNI
MI CHIAMO GIORGIO. SONO UN BAMBINO E HO CINQUE ANNI	MI CHIAMO ANNALISA. SONO UNA BAMBINA E HO DIECI ANNI

10 Indica con una crocetta (×) se le frasi sono vere (V) o false (F):

V	F

MARCO HA TRE ANNI

V	F

LUCA HA QUATTRO ANNI

V	F

FABIO HA SEI ANNI

V	F

SABRINA HA OTTO ANNI

11 Completa:

IO MI CHIAMO ....

SONO ....

E HO .... ANNI.

Osserva:

QUANTI ANNI HAI?

	UN		ANNO
	DUE		
	TRE		
	QUATTRO		
	CINQUE		
HO	SEI		ANNI
	SETTE		
	OTTO		
	NOVE		
	DIECI		

FILASTROCCA

UNO, DUE, TRE E QUATTRO
DI CHI È QUESTO GATTO?
QUATTRO, TRE, DUE, UNO
NON È DI NESSUNO?
QUATTRO, UNO, DUE E TRE
ME LO PORTO VIA CON ME

ventinove **29**

UNO DUE TRE

UNO DUE TRE
PASSA PAPERINO
CON LA PIPA IN BOCCA
GUAI A CHI LA TOCCA
LA TOCCHI PROPRIO TE
UNO DUE TRE

GIOCO

✔ Nella scheda che segue ogni bambino cancella tre numeri a caso, poi l'insegnante legge ad alta voce i numeri (da 1 a 9). Vince chi fa tombola per primo.

Bingo!

UNO	DUE	TRE
QUATTRO	CINQUE	SEI
SETTE	OTTO	NOVE

Unità 4
Rosso, giallo e azzurro

1 Ascolta e ripeti:

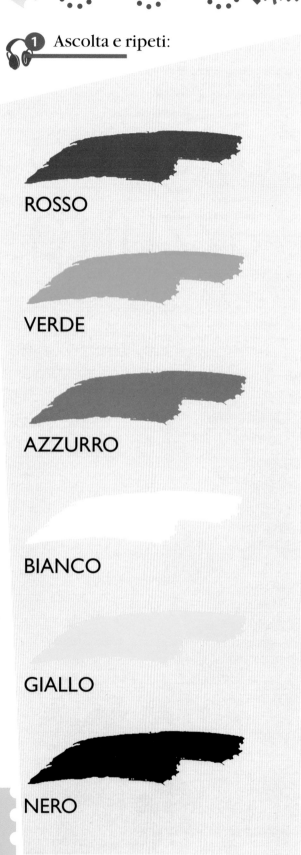

ROSSO

VERDE

AZZURRO

BIANCO

GIALLO

NERO

2 Colora i palloncini:

ROSSO

NERO

GIALLO

VERDE

BIANCO

AZZURRO

ROSSO

GIALLO

3 Completa i nomi dei colori:

4 Ascolta i nomi dei colori e indicali con un crocetta (X):

1	2	3	4	5	6

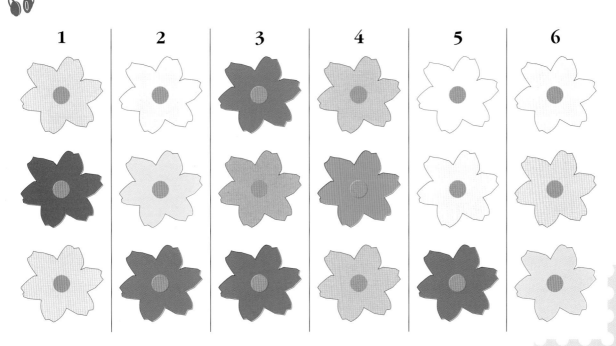

5 Ascolta:

6 Collega:

MARCO

ELENA

7 Completa:

> DI CHE COLORE È LA PALLA DI...?

LA PALLA DI MARTINA È ....

LA PALLA DI ALBERTO È ....
....

LA PALLA DI ORESTE È ....

LA PALLA DI SPILLO È ....

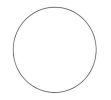

IO HO UNA PALLA.
LA MIA PALLA È ....

8 Leggi e colora con il rosso la frase corretta:

DI CHE COLORE
È L'AQUILONE DI...?

1

L'AQUILONE DI MARCO È VERDE E GIALLO

L'AQUILONE DI MARCO È VERDE E BIANCO

2

L'AQUILONE DI ELENA È ROSSO E AZZURRO

L'AQUILONE DI ELENA È BIANCO E AZZURRO

3

L'AQUILONE DI ALBERTO È NERO E GIALLO

L'AQUILONE DI ALBERTO È ROSA E GIALLO

4

L'AQUILONE DI SPILLO È MARRONE E ROSSO

L'AQUILONE DI SPILLO È GIALLO E ROSSO

9 Colora e completa:

IL MIO AQUILONE È ....

10 Scrivi il nome del colore sui barattoli e colora i fiori:

ARANCIONE

ROSA

⓫ Collega e colora, secondo l'esempio:

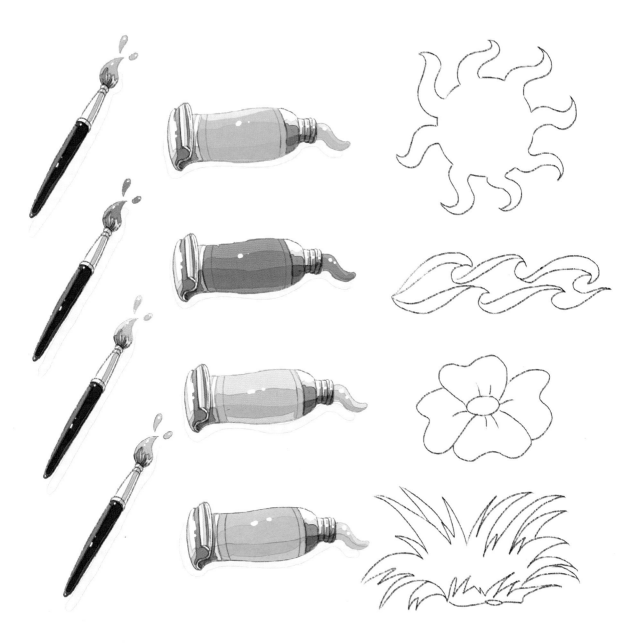

GIOCO

✔ L'insegnante dispone sulla cattedra alcuni oggetti di vari colori e poi invita i bambini a toccarne uno, per esempio: «Marco, tocca qualcosa di verde!».

✔ L'insegnante mette una scatola di pennarelli sul tavolo e dice ai bambini: «Prendi/Dammi il pennarello rosso!».

12 Colora il disegno come è indicato:

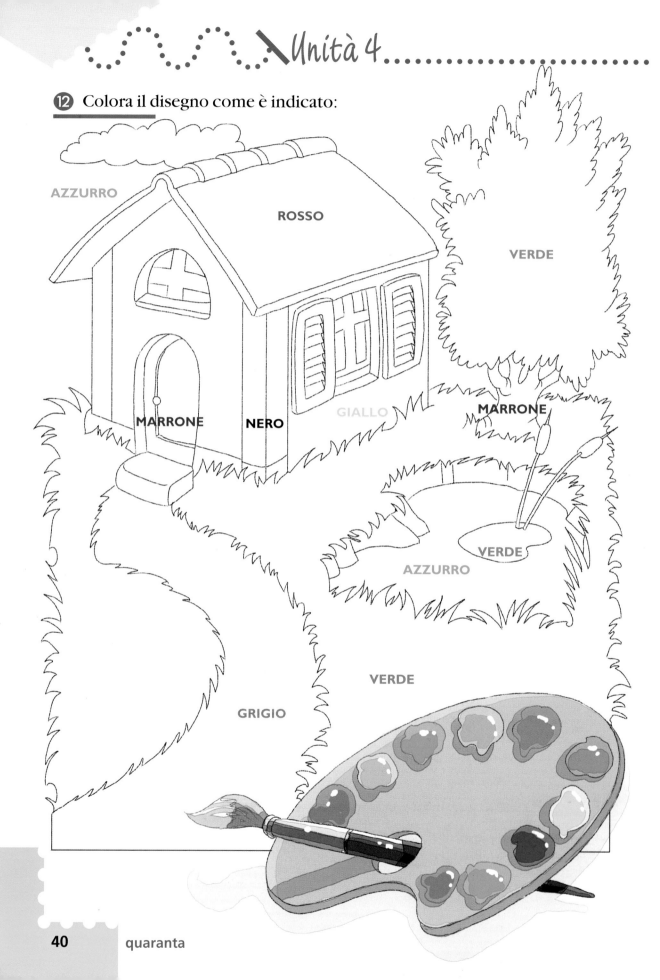

AZZURRO

ROSSO

VERDE

MARRONE

NERO

GIALLO

MARRONE

VERDE

AZZURRO

VERDE

GRIGIO

13 Rispondi:

DI CHE COLORE È?

È GIALLO!

IL SOLE È ....

È ROSSO!

IL FIORE È ....

È AZZURRO!

IL MARE È ....

È VERDE!

IL PRATO È ....

Osserva:

LA PALLA	È	ROSSA AZZURRA GIALLA VERDE
L'AQUILONE	È	ROSSO AZZURRO GIALLO VERDE

IL TRENINO ROSSO E BLU

IL TRENINO ROSSO E BLU
VA DI CORSA
VA SU E GIÙ
TRIESTE E NAPOLI SA FARE
SENZA MAI RALLENTARE
IL FISCHIETTO SENTI TU
CIUFFE CIUFFE CIÙ

HO VISTO UN PRATO

HO VISTO UN CIELO AZZURRO, AZZURRO, AZZURRO
SOTTO UN MARE AZZURRO, AZZURRO, AZZURRO
NEL MARE C'ERA UNA BARCA AZZURRA, AZZURRA, AZZURRA
E SULLA BARCA UN BERRETTO AZZURRO, AZZURRO, AZZURRO
IN TESTA A UN MARINAIO AZZURRO, AZZURRO, AZZURRO
CHE ALZA UNA VELA BIANCA, BIANCA, BIANCA
ALZA UNA VELA BIANCA, BIANCA, BIANCA

(Parole di Gianni Rodari, musica di Sergio Endrigo)

14 Questa è la bandiera italiana. Di che colore è?

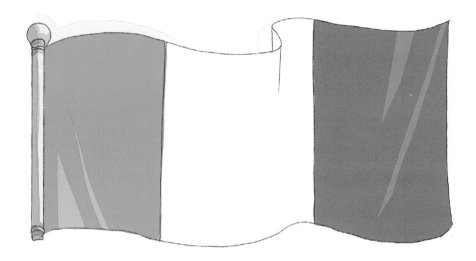

LA BANDIERA ITALIANA È ....,

.... E ....

15 Disegna e colora la bandiera del tuo paese.

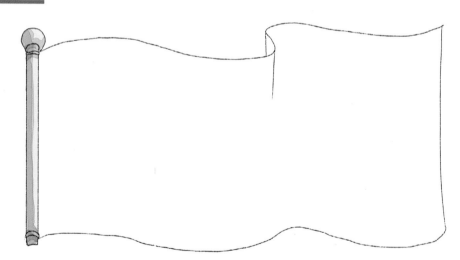

LA BANDIERA .... È ....

....

Unità 5

Mi dai la penna?

1 Ascolta e ripeti:

LA PENNA

LA MATITA

L'ASTUCCIO

IL LIBRO

IL RIGHELLO

LA GOMMA

LO ZAINO

IL QUADERNO

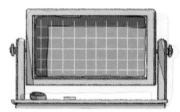

LA LAVAGNA

2 Completa e colora:

LA .... ROSSA   LO .... VERDE E NERO

IL .... GIALLO   LA .... BIANCA E ROSSA

IL .... AZZURRO   IL .... BIANCO

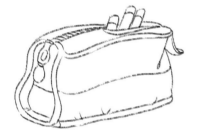

L' .... GIALLO E BIANCO

LA .... BIANCA   LA .... NERA

3 Riscrivi le parole come nell'esempio:

LA	TIMATA	MATITA ....
LA	NAPEN	P ... ... A
LA	MAGOM	G ... ... A
LO	INOZA	Z ... ... O
IL	BROLI	L ... ... O
LA	GNAVALA	L ... ... A

4 Ascolta:

5 Cerchia gli oggetti che chiede Irene:

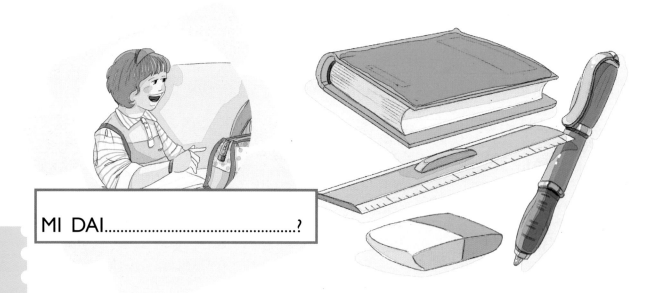

MI DAI..?

6 Colora un oggetto nello zaino e poi chiedilo al tuo compagno:

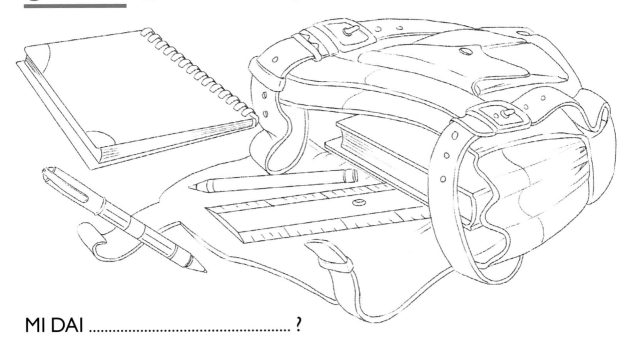

MI DAI .... ?

7 Ascolta e riconosci se è vero (V) o falso (F):

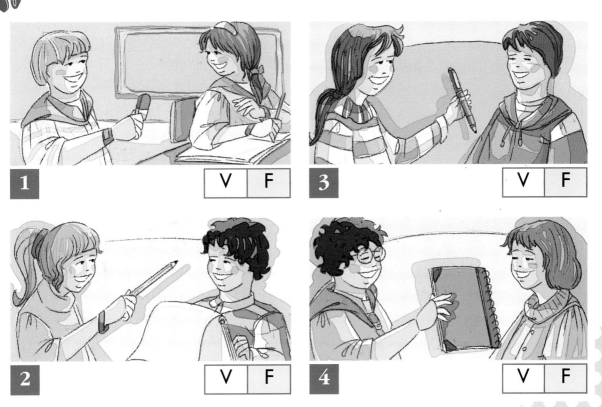

1 | V | F

3 | V | F

2 | V | F

4 | V | F

8 Indovina che cosa è disegnato e completa:

MI DAI ....?

MI DAI ....?

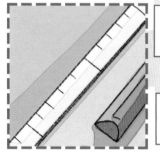

MI DAI ....?

MI DAI ....?

MI DAI ....?

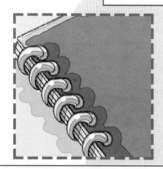

MI DAI ....?

MI DAI ....?

9 Completa il cruciverba:

GIOCO

✔ L'insegnante mette sul tavolo vari oggetti di cui i bambini conoscono il nome, chiama un bambino a turno e gli dice: «Prendi ....!».

Osserva:

MI DAI	LA PENNA PER FAVORE?	
	LA MATITA?	
	LA GOMMA?	
	IL RIGHELLO?	
	IL LIBRO?	
	L' ASTUCCIO?	

ECCOLO!

ECCOLA!

GIOCO

✔ I bambini si dispongono in cerchio: uno di loro sta al centro e nasconde un oggetto, poi chiede : «Che cosa è?». Gli altri provano a indovinare; se indovinano tocca a un altro concorrente nascondere qualcosa.

✔ I bambini sono divisi in squadre. L'insegnante alla lavagna disegna solo una parte di alcuni oggetti, le squadre devono indovinare di che cosa si tratta. Vince la squadra che ne indovina di più.

PRENDI LA TUA PENNA

PRENDI LA TUA PENNA
PRENDI LA TUA PENNA, DAI!

PRENDI LA TUA MATITA
PRENDI LA TUA MATITA, DAI!

PRENDI LA TUA GOMMA
PRENDI LA TUA GOMMA, DAI!

PRENDI IL TUO LIBRO
PRENDI IL TUO LIBRO, DAI!

GiOCO

✔ I bambini si dispongono in cerchio: il primo recita la prima strofa tenendo in mano una penna, poi prosegue il secondo con una matita e così via.

GIOCO

✔ Ogni bambino disegna nella propria cartella 10 oggetti scelti fra quelli disegnati qui sotto. L'insegnante nomina, a caso, gli oggetti raffigurati nella seconda cartella; ogni bambino cancella l'oggetto se lo trova nella sua cartella. Vince il bambino che la completa per primo.

Bingo!

1.

2.

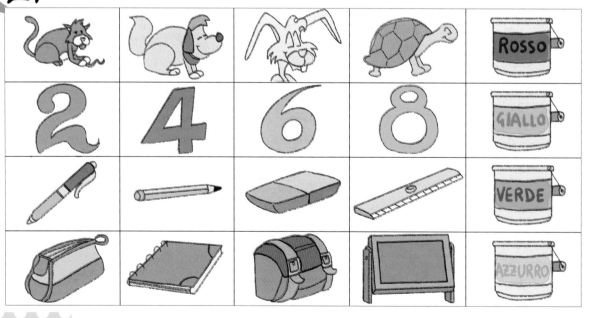

Qual è il tuo numero di telefono?

1 Ascolta, unisci i numeri e rispondi:

CHE COS'È?

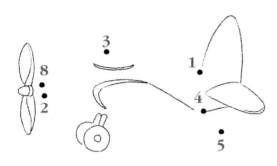

OTTO, TRE, UNO,
QUATTRO, CINQUE, DUE

È UN .... AEREO ....

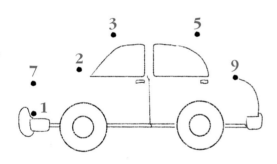

UNO, SETTE, DUE, TRE,
CINQUE, NOVE

È UNA .....MACCHINA...........

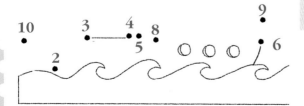

DUE, DIECI, TRE, UNO,
QUATTRO, CINQUE,
SETTE, OTTO, NOVE, SEI

È UNA ...... NAVE ....

2 Leggi i numeri di telefono:

07533150

02395438

066972461

096521604

3 Colora i numeri. Segui le indicazioni!

✔ L'UNO È GIALLO.
✔ IL SEI È ROSSO.
✔ IL DIECI È VERDE.
✔ IL DUE È ROSA.
✔ IL QUATTRO È AZZURRO.
✔ IL SETTE È GRIGIO.
✔ IL TRE È ARANCIONE.
✔ IL CINQUE È MARRONE.
✔ IL NOVE È NERO.
✔ L'OTTO È VIOLA.

5 2 4
7 10
6 1 9
8 3

4 Ascolta:

MARCO, QUAL È IL TUO NUMERO DI TELEFONO?

02-5529170. E IL TUO ALBERTO?

IL MIO NUMERO È 02-90537

IL MIO NUMERO DI TELEFONO È 02-31243. E IL TUO IRENE?

5 Ora collega i numeri ai bambini:

02-5529170

02-90537

02-31243

6 Chiedi a quattro compagni di scuola il numero di telefono e scrivilo:

NOME	NUMERO DI TELEFONO
1	
....	....
2	
....	....
3	
....	....
4	
....	....

7 Scrivi il tuo numero di telefono:

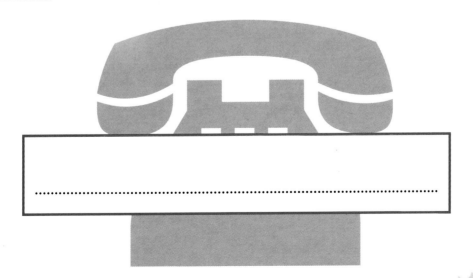

8 Incolla qui una tua foto e presentati:

MI CHIAMO ....

SONO ....

HO ....

IL MIO NUMERO DI TELEFONO

È ....

FILASTROCCA

UNO DUE TRE QUATTRO,
DOPO UN FIORE CE N'È UN ALTRO.
TRE QUATTRO CINQUE SEI,
FIORI BELLI, FIORI MIEI,
CINQUE SEI SETTE OTTO,
SOPRA IL FIORE, COSA SOTTO?
SETTE OTTO NOVE DIECI:
SOTTO I FIORI LE RADICI.

(Roberto Piumini, *Albero Alberto aveva una foglia*,
Mondadori)

9 Che colori ha usato il pittore in questo quadro?

Fortunato Depero© Fortunato Depero, by SIAE 2003

SCRIVI I COLORI DI QUESTO QUADRO.

....
....
....
....
....

Ho un regalo per te!

1 Ascolta e ripeti:

L'ORSACCHIOTTO

I PATTINI

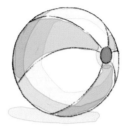

LA PALLA

IL TRENINO

LA MACCHININA

LA BAMBOLA

LA BICICLETTA

LE COSTRUZIONI

IL PUZZLE

L'AQUILONE

2 Completa le parole:

1 PAL ....

2 ....SACCHIOTTO

3 BAM ....

4 TRE ....

5 MACCHINI ....

6 ....TINI

7 PUZZ ....

8 .... CLETTA

9 COSTRU ....

10 AQUI ....

OR

NINO

PAT

BICI

LA

NA

BOLA

ZIONI

LONE

LE

3 Ascolta e scrivi la lettera che vedi vicino agli oggetti nominati:

/... /... /... /... /... /... /... / ... /... /... /

... /... /...

4 Disegna su un foglio i tuoi giocattoli, colorali, ritagliali con le forbici e incollali nel cesto:

GiOCO

✔ L'insegnante chiede a ogni bambino: «Che giocattoli hai?».
Il bambino (per esempio Paolo) risponde: «Io ho ....». E gli altri ripetono: «Paolo ha ....».

 5 Ascolta il dialogo e indica con una crocetta (×) se le affermazioni sono vere (V) o false (F):

PAOLO HA

UN AQUILONE   V F

UN PUZZLE   V F

UNA MACCHININA   V F

UNA BICICLETTA

ROSSA E VERDE   V F

CHIARA HA

UNA BAMBOLA   V F

UNA MACCHININA   V F

UN ORSACCHIOTTO   V F

UN AQUILONE   V F

6 Che cosa manca? Colora i disegni:

8 Ascolta di nuovo e segna con una crocetta (×) i regali che Marco riceve:

9 Osserva i colori del disegno e completa:

CHE REGALI RICEVE PER IL COMPLEANNO...?

ELENA RICEVE

ALBERTO RICEVE

MARCO RICEVE

....

....

....

....

....

....

....

....

....

10 Completa con:

CHE BELLO! GRAZIE

CHE BELLA! GRAZIE

☆ HO UN REGALO PER TE!

☆ CHE COSA È?

☆ È UNA BAMBOLA!

☆ ....

☆ HO UN REGALO PER TE!

☆ CHE COSA È?

☆ È IL LIBRO DI PINOCCHIO!

☆ ....

☆ HO UN REGALO PER TE!

☆ CHE COSA È?

☆ È UN TRENINO ROSSO E BLU!

☆ ....

☆ HO UN REGALO PER TE!

☆ CHE COSA È?

☆ È UNA PALLA!

☆ ....

IL MIO CARO PALLONE

MIO CARO PALLONE
DIPINTO DI BLU
VOLANDO VOLANDO
NEL CIELO STAI TU.

PER UNA SCALETTA
IO VORREI SALIR,
PRENDERE IL CODINO
PORTARLO FIN QUI.

11 Questo è un regalo per te.

CHE COSA È?

1. ....
2. ....
3. ....
4. ....
5. ....

6. ....
7. ....
8. ....
9. ....

Osserva:

CHE COSA È?

È	UNA	BAMBOLA	
		PALLA	
		BICICLETTA	

È	UN	TRENINO	
		ORSACCHIOTTO	
		AQUILONE	

12 Completa il cruciverba e scopri la parola segreta:

1.

2.

3.

4.

5.

6.

Unità 8

Allo zoo

1 Ascolta e ripeti:

ELEFANTE

ORSO

LEONE

GIRAFFA

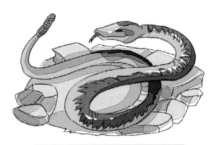

SERPENTE

ZEBRA

TIGRE

COCCODRILLO

SCIMMIA

2 Collega secondo l'esempio:

CHE COS'È?

È

UNA GIRAFFA

UN LEONE

UNA SCIMMIA

UN ORSO

UNA ZEBRA

UN SERPENTE

UN COCCODRILLO

UNA TIGRE

UN ELEFANTE

3 Colora e rispondi. Guarda l'esempio:

1 È UN ELEFANTE O UN ORSO?

È UN ORSO

2 È UN COCCODRILLO O UNA TARTARUGA?

3 È UNA ZEBRA O UNA GIRAFFA?

....

4 È UN LEONE O UNA TIGRE?

....

5 È UN SERPENTE O UN GATTO?

....

4 Collega e scrivi secondo l'esempio:

CHE COSA È?

È UN

È UNA

ZEBRA

....

LEONE

....

....

5 Ascolta:

TIGRI COCCODRILLI
LEONI SCIMMIE
ORSI SERPENTI
GIRAFFA

QUANTI ANIMALI!

CI SONO LE TIGRI, CI SONO I LEONI E C'È ANCHE UN ORSO CON DUE ORSACCHIOTTI. E LÀ CHE COSA C'È?

CI SONO I COCCODRILLI, CI SONO LE SCIMMIE, C'È UN SERPENTE E C'È UNA GIRAFFA: HA UN COLLO LUNGHISSIMO!

6 Ascolta di nuovo e collega:

ALLO ZOO C'È

ALLO ZOO CI SONO

7 Osserva e scrivi al posto giusto:

QUI C'È

....

....

QUI CI SONO

....

....

....

QUI C'È

....

....

QUI CI SONO

....

....

....

UNA GIRAFFA

UN ORSO

UN LEONE

I SERPENTI

LE TIGRI

GLI ELEFANTI   UN COCCODRILLO   UNA SCIMMIA   LE ZEBRE

8 Osserva e riconosci gli animali che sono al cinema.

Gioco

✔ I bambini sono divisi in due squadre. Vince la squadra che riconosce il maggior numero di animali.

9 Ascolta:

10 Collega secondo l'esempio:

⑪ Completa:

ALBERTO HA UN ....

ELENA HA UN ....

MARCO HA UNA ....

CARLO NON HA ....

⑫ Disegna l'animale che hai e coloralo:

GIOCO

✔ I bambini scrivono nella prima colonna i nomi di alcuni compagni di classe. A coppie, ognuno chiede all'altro che animale ha. Poi, uno alla volta, lo riferiscono alla classe. Ogni bambino ascoltando gli altri completerà la tabella con una crocetta (×).

Che animale hai?

NOME								—?
....								
....								
....								
....								
....								

GIOCO

✔ Ogni bambino sceglie quale animale vuole essere. I bambini sono tutti seduti, si alza solo il bambino che comincia a cantare la canzone. Il bambino che ha deciso di essere il leone si alza, tocca a lui ora cantare e chiamare un altro animale.

IL GIOCO DELLA FORESTA

QUESTO È IL GIOCO DELLA FORESTA
LALLERO LALLERO
QUESTO È IL GIOCO DELLA FORESTA
LALLERO LALLERO
NOI VOGLIAMO IL LEONE
LALLERO LALLÀ
IL LEONE ECCOLO QUA
LALLERO LALLÀ...

⑬ Cerca gli animali:

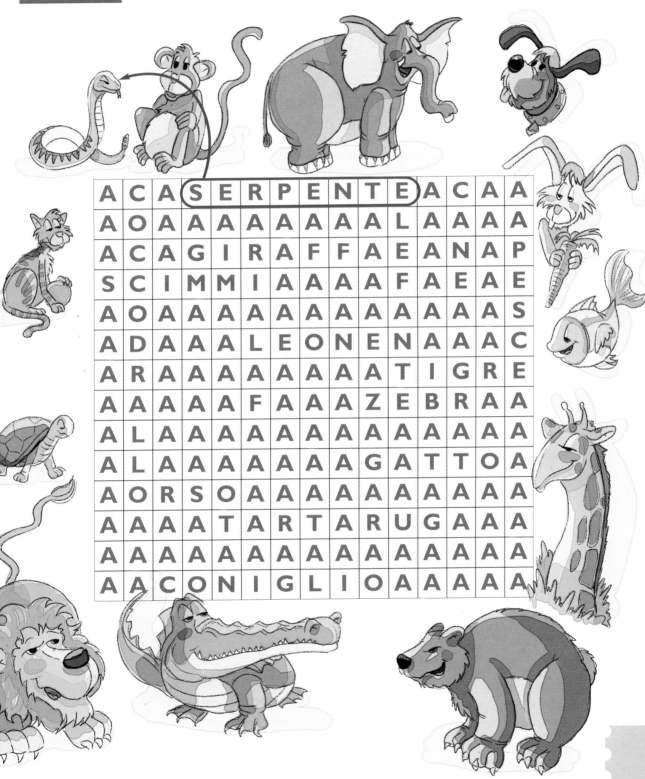

A	C	A	S	E	R	P	E	N	T	E	A	C	A	A
A	O	A	A	A	A	A	A	A	A	L	A	A	A	A
A	C	A	G	I	R	A	F	F	A	E	N	A	P
S	C	I	M	M	I	A	A	A	A	F	A	E	A	E
A	O	A	A	A	A	A	A	A	A	A	A	A	A	S
A	D	A	A	A	L	E	O	N	E	N	A	A	A	C
A	R	A	A	A	A	A	A	A	T	I	G	R	E
A	A	A	A	A	F	A	A	A	Z	E	B	R	A	A
A	L	A	A	A	A	A	A	A	A	A	A	A	A	A
A	L	A	A	A	A	A	A	G	A	T	T	O	A
A	O	R	S	O	A	A	A	A	A	A	A	A	A	A
A	A	A	A	T	A	R	T	A	R	U	G	A	A	A
A	A	A	A	A	A	A	A	A	A	A	A	A	A	A
A	A	C	O	N	I	G	L	I	O	A	A	A	A	A

Osserva:

ALLO ZOO	**C'È**	**UNA GIRAFFA**
		UNA ZEBRA
		UNA TIGRE
		UN SERPENTE
		UN COCCODRILLO
		UN LEONE
	CI SONO	**LE GIRAFFE**
		LE ZEBRE
		LE TIGRI
		I SERPENTI
		I COCCODRILLI
		I LEONI

FILASTROCCA

C'È UNA BAMBINA
SOTTO L'OMBRELLO
SOTTO IL CAPPELLO.
CI SONO I FIORI
SOPRA L'OMBRELLO
SOPRA IL CAPPELLO.
BAMBINA, OMBRELLO
FIORI, CAPPELLO:
NIENTE HO VEDUTO DI COSÌ BELLO.

(Roberto Piumini, *Albero Alberto aveva una foglia*,
Mondadori)

14 Sottolinea nella poesia queste parole:

L'OMBRELLO

I FIORI

LA BAMBINA

IL CAPPELLO

15 Cerca nel puzzle le parole giuste per completare le frasi:

1 IO ....

2 MI CHIAMO ....

3 ELENA ....

4 LA MIA PALLA ....

5 LA PALLA ....

6 HO ....

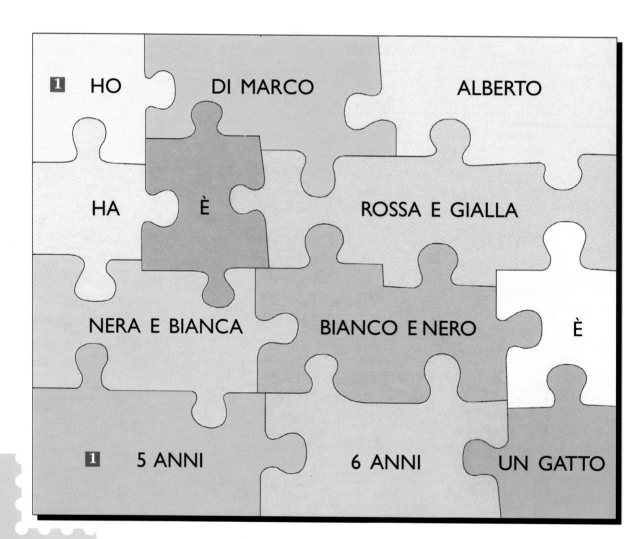

Quando è il tuo compleanno?

1 Ascolta e ripeti:

GENNAIO	LUGLIO
FEBBRAIO	AGOSTO
MARZO	SETTEMBRE
APRILE	OTTOBRE
MAGGIO	NOVEMBRE
GIUGNO	DICEMBRE

2 Completa:

PRIMA		DOPO
....	FEBBRAIO	....
....	GIUGNO	....
....	DICEMBRE	....
....	MARZO	....
....	AGOSTO	....
....	NOVEMBRE	....

3 Completa:

G....N....A....O	F....B....R....IO	M....R....O
AP....I....E	M....G....IO	GI....G....O
L....GL....O	A....O....TO	S....TT....MB....E
O....T....B....E	N....V....MB....E	D....C....M....RE

4 Ascolta:

5 Ascolta di nuovo e collega:

6 Ascolta, disegna le candeline e colora il quadratino giusto:

PIETRO

FEBBRAIO
GENNAIO

MARTINA

GIUGNO
LUGLIO

IRENE

MAGGIO
MARZO

ORESTE

SETTEMBRE
NOVEMBRE

7 Chiedi ai tuoi compagni quando è il loro compleanno e scrivi i loro nomi:

GENNAIO	FEBBRAIO	MARZO
....	....	....
....	....	....
....	....	....

APRILE	MAGGIO	GIUGNO
....	....	....
....	....	....
....	....	....

LUGLIO	AGOSTO	SETTEMBRE
....	....	....
....	....	....
....	....	....

OTTOBRE	NOVEMBRE	DICEMBRE
....	....	....
....	....	....
....	....	....

8 Completa:

1 IL COMPLEANNO DI .... È A ....

2 IL COMPLEANNO DI .... È ... .

3 IL COMPLEANNO DI .... È ... .

9 Scrivi i nomi dei mesi:

È Natale!

È Capodanno!

È Pasqua!

È l'Epifania!

È Carnevale!

È la festa della mamma!

È la festa del papà!

È il mio compleanno!

Osserva:

QUANDO È IL TUO COMPLEANNO?

IL MIO COMPLEANNO È	A	GENNAIO FEBBRAIO MARZO APRILE MAGGIO GIUGNO LUGLIO AGOSTO SETTEMBRE OTTOBRE NOVEMBRE DICEMBRE

FILASTROCCA

TRENTA DÌ CONTA NOVEMBRE
CON APRIL GIUGNO E SETTEMBRE
DI 28 CE N'È UNO
TUTTI GLI ALTRI NE HANNO 31

FILASTROCCA DEI MESI

☐ GENNAIO FIOCCHI DI NEVE

☐ FEBBRAIO ALLEGRO MA BREVE

☐ MARZO CON ACQUA E SOLE

☐ APRILE PROFUMO DI VIOLE

☐ MAGGIO LA ROSA È FIORITA

☐ GIUGNO LA SCUOLA È FINITA

☐ LUGLIO CON TANTI FRUTTI

☐ AGOSTO VACANZE PER TUTTI!

☐ SETTEMBRE SI TORNA AL LAVORO

☐ OTTOBRE CON GRAPPOLI D'ORO

☐ NOVEMBRE CON IL CAPPOTTO

☐ DICEMBRE LE FESTE CON IL BOTTO!

(adattamento da *Dimensione vacanza*,
Nicola Milano editore)

1 Colora con il pennarello rosso i mesi di scuola.

2 Colora con il pennarello giallo i mesi delle vacanze.

TANTI AUGURI A TE
TANTI AUGURI A TE
TANTI AUGURI A TE
TANTI AUGURI A ELENA
TANTI AUGURI A TE!

In Italia la scuola comincia
a settembre e finisce a giugno

IN .... LA SCUOLA COMINCIA

.... E FINISCE A ....

Ascolta!

1  Ascolta e ripeti:

ASCOLTA! LEGGI! IN PIEDI!

SCRIVI! COLORA! SEDUTO! SILENZIO!

2 Collega:

ASCOLTA!

SCRIVI!

COLORA!

LEGGI!

SEDUTO!

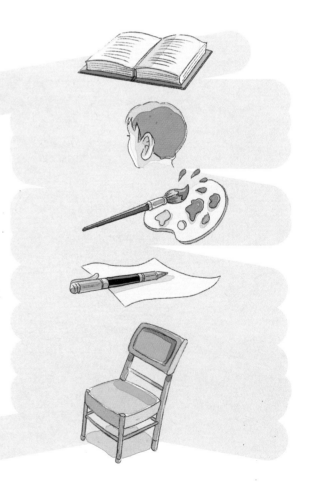

3 Controlla se Elena ha fatto ciò che ha detto la maestra:

4 Copia il comando vicino al disegno corrispondente:

IN PIEDI!

ASCOLTA!

COLORA!

SCRIVI!

....

....

SEDUTO!

....

LEGGI!

....

....

SILENZIO!

....

Unità 11

Il frutto preferito

1 Ascolta e ripeti:

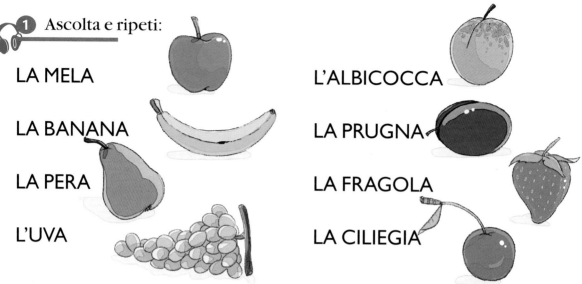

LA MELA

L'ALBICOCCA

LA BANANA

LA PRUGNA

LA PERA

LA FRAGOLA

L'UVA

LA CILIEGIA

2 Colora la frutta, ma non tutta, solo la frutta che è nell'elenco:

| LA FRAGOLA | LA PRUGNA | | LA CILIEGIA |
| LA'ALBICOCCA | LA BANANA | LA MELA | LA PERA | L'UVA |

3 Collega:

LA MELA

LA CILIEGIA

LA PERA

LA FRAGOLA

LA BANANA

L'UVA

L'ALBICOCCA

LA PRUGNA

4 Colora gli spazi con il puntino. Che cosa compare?

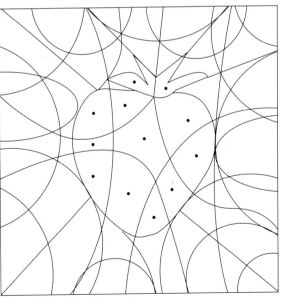

L' .... LA ....

5 Scrivi l'etichetta di questi succhi di frutta:

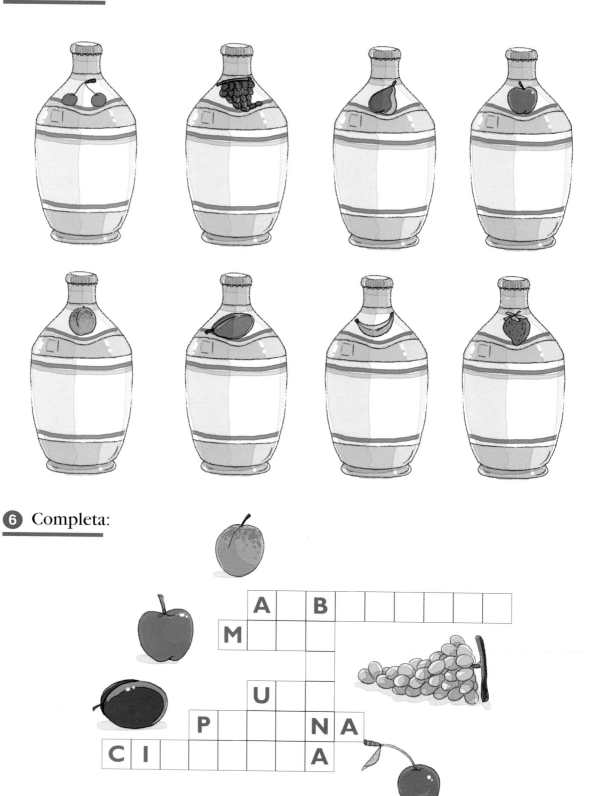

6 Completa:

Il frutto preferito

7 Ascolta:

8 Collega:

MARCO

ALBERTO

ELENA

9 Scrivi i nomi dei tuoi compagni di scuola, chiedi ad ognuno qual è il suo frutto preferito e completa la tabella:

	🍎	🍌	🍐	🍓	🍒	🍑	🫐	🍇	?
....									
....									
....									
....									
....									
....									

10 Rispondi:

QUAL È IL TUO FRUTTO PREFERITO?

IL ....

È ....

⓫ Colora la frutta ...

⓬ ... e completa:

LA MELA È ....

LA BANANA È ....

LA PERA È ....

LA FRAGOLA È ....

LA CILIEGIA È ....

LA PRUGNA È ....

L'ALBICOCCA È ....

L'UVA È ....

13 Ascolta e riconosci il dialogo relativo ad ogni immagine:

14 Leggi il dialogo e copialo nei fumetti:

....

....

....

....

....

....

....

....

GRAZIE, MAMMA.

PREGO!

SÌ, ECCOLA!

MAMMA, HO FAME!
MI DAI UNA BANANA?

15 Leggi il dialogo e copialo
nei fumetti:

GRAZIE!

UN SUCCO DI PERA
O DI MELA?

ECCOLO!

PAPÀ, HO SETE! MI DAI
UN SUCCO DI FRUTTA?

PREGO!

DI MELA

16 Scrivi il singolare dei nomi, secondo l'esempio:

LA MELA

LE MELE

LE BANANE

....

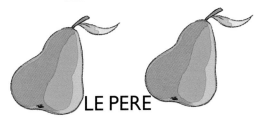

LE PERE

....

LE PRUGNE

....

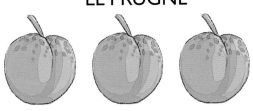

LE ALBICOCCHE

....

LE FRAGOLE

....

LE CILIEGIE

Osserva:

			MELA	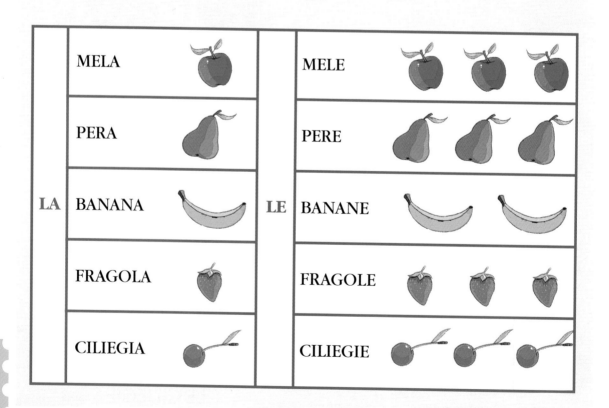
			PERA	
IL MIO FRUTTO PREFERITO	È	LA	BANANA	
			PRUGNA	
			FRAGOLA	
			CILIEGIA	

	MELA	MELE	
	PERA	PERE	
LA	BANANA	LE BANANE	
	FRAGOLA	FRAGOLE	
	CILIEGIA	CILIEGIE	

Osserva:

VORREI	UNA MELA	
	UNA PERA	
	UNA BANANA	
	TRE MELE	
	DUE PERE	
	QUATTRO BANANE	

VORREI	UN SUCCO DI	MELA
		PERA
		BANANA
		UVA

GioCo

✔ Ogni bambino cancella 5 caselle dalla sua cartella. La maestra legge ad alta voce alcuni nomi, chi completa per primo la cartella vince.

Bingo!

Questa è l'Italia

Gli animali

IL GATTO

LA TARTARUGA

IL CANE

IL CONIGLIO

LA ZEBRA

LA SCIMMIA

LA GIRAFFA

IL COCCODRILLO

IL SERPENTE

IL LEONE

LA TIGRE

L'ORSO

L'ELEFANTE

I numeri

UNO 1

DUE 2

TRE 3

QUATTRO 4

CINQUE 5

SEI 6

SETTE 7

OTTO 8

NOVE 9

DIECI 10

ZERO 0

I colori

ROSSO

VERDE

ROSA

MARRONE

AZZURRO

BIANCO

ARANCIONE

VIOLA

NERO

GIALLO

GRIGIO

Gli oggetti

LA PENNA

LA MATITA

LA GOMMA

LA LAVAGNA

IL LIBRO

IL RIGHELLO

IL QUADERNO

IL TELEFONO

LO ZAINO

L'ASTUCCIO

I mesi

GENNAIO

FEBBRAIO

MARZO

APRILE

MAGGIO

GIUGNO

LUGLIO

AGOSTO

SETTEMBRE

OTTOBRE

NOVEMBRE

DICEMBRE

Le persone

LA MAMMA

IL PAPÀ

LA MAESTRA

La frutta

LA MELA

LA BANANA

LA PERA

LA PRUGNA

LA FRAGOLA

LA CILIEGIA

L'ALBICOCCA

L'UVA

I giocattoli

LA PALLA

LA BAMBOLA

LA BICICLETTA

LA MACCHININA

LE COSTRUZIONI

IL TRENINO

L'ORSACCHIOTTO

IL PUZZLE

I PATTINI